Primera edición, marzo de 2024
Traducción: Francisco Rodríguez Marín
Prefacio: Domingo Alberto Martínez
Diseño, correción y maquetación: Fut i makak
Foto cubierta: basada en una foto de Viktor Zhulin


Estonia: info@westindies.eu

ISBN: 978-9916-9819-7-9

# *El Cantar de los Cantares de Salomón*

**Traducido directa y casi literalmente del hebreo en verso castellano**

Versión de Francisco Rodríguez Marín

Prefacio de Domingo Alberto Martínez

# PREFACIO

## El tiempo de la poda y el ruiseñor

*...and the Holy Dove, she was moving too.*
Leonard Cohen

En 1885, el ursaonense Francisco Rodríguez Marín está preparando una traducción del Cantar de los Cantares de Salomón. Quiere homenajear a su maestro, el canónigo y hebraísta Antonio García Blanco, en su octogésimo quinto aniversario, y para ello se ha propuesto llevar el texto bíblico al castellano «palabra por palabra», articularlo en verso endecasílabo suelto y hacerlo sobre todo sin florituras («sin lubricidades ni torpezas», según manifiesta), ciñéndose al original hebreo como un jubón de paño. Pero el entonces abogado de primera instancia del juzgado de Osuna, muy lejos todavía del eminente polígrafo de barba blanca que recibirá en su despacho a los fotógrafos de Blanco y Negro como académico de la Historia y de la Lengua y director de la Biblioteca Nacional, tiene treinta años recién cumplidos y está en capilla, como quien dice, para casarse.

Soplan vientos parnasianos y simbolistas a través de los Pirineos, y se van dejando ver en las dársenas de Cádiz y Santander las primeras cajas con avisos de frágil y membretes modernistas, recién desembarcadas de América. Si Rodríguez Marín no es sensible a estas novedades, enfrascado en la lectura de sus legajos polvorientos, o no es capaz de apreciarlas con las anteojeras costumbristas que suele ponerse para espulgar refranes y otras expresiones populares en sus andanzas por la provincia, puede que se muestre más receptivo con la llegada de la primavera. Quién sabe si aquel joven de espíritu dicharachero, el Paquito al que, según sus camaradas, le gusta andar zascandileando con la flauta en la mano, al atravesar la campiña por un camino de arrieros, con el borbollear de las acequias entre las espadañas, en el cielo el garabato de un gavilán y, más adelante, un rebañil de ovejas pastando pacíficamente entre los olivares, al sortear una loma verde vivo y manzanilla, acotada por un murete medio hundido al que se asoman curiosas las lagartijas, quién sabe, decimos, si embriagado por la contemplación de la naturaleza y el olor del espliego y la albahaca, no se habrá sentido en algún momento como el rey Salomón y, dejándose llevar por la fantasía, haya revestido a Dolores Vecino, su prometida, con los velos de la sulamita.

Revestido, no confundamos los términos. Y solo por el mero deleite espiritual.

Pero hablando de velos, corramos uno bien tupido sobre la escena y centrémonos en el *Shir*

*Hashirim* o *Cantar de los cantares de Salomón*, uno de los libros más breves y singulares de la Biblia (como lo es también entre los Ketuvim hebreos, de los que forma parte), y seguramente el menos canónico de todos, por cuanto no se ocupa de los jueces ni de los profetas, no le importan las hazañas bélicas del pueblo elegido y, exégesis aparte, no se detiene ni mucho ni poco en la figura de Dios. Los protagonistas son una pareja de amantes, y para una pareja de amantes, como bien saben los compositores de éxitos de radiofórmula, no hay otro dios que el amor.

La autoría se le viene atribuyendo por defecto a Salomón, aunque la crítica moderna coincide en señalar a un sofer, un escriba anónimo, o varios soferim sucesivos en torno al siglo III a. C. El Cantar, por su naturaleza, es un idilio semítico, una égloga festiva relacionada con los epitalamios primitivos, un rito de esponsales fragmentado en cánticos alternos e independientes, pero que obedecen a un mismo patrón. Dos jóvenes pastores, el amado y la amada, identificados a veces con el rey Salomón y la sulamita[1], se llaman y se responden, compitiendo entre sí con una tierna desesperación; y cuanto más se dicen, más parece que tengan intención de decirse. Cada una de sus palabras no es solo una palabra, sino que encierra todo el anhelo, el deseo y la entrega que atesoran el uno para el otro.

1 Del hebreo šūlammît (תִימַּלוּש), que significa mansa, pacífica. También locativo para Sûlam, actual Sôlem (םַלוּס), aldea árabe en el valle de Jezreel, al norte del monte Gilboa.

Rodríguez Marín divide la traducción en ocho capítulos, que se corresponden con la división actual de un preludio, cinco poemas y dos apéndices añadidos con posterioridad. Sin embargo, la estructura es lo de menos. El poema rehúye cualquier caracterización rigurosa y se lee con sentido unitario, como un himno nupcial de dos jóvenes pastores que se buscan por las majadas, en los oasis y las cabañas, triscando por los collados, se juntan y se separan para, impulsados por la intensidad de sus sentimientos, volver indefectiblemente a unirse como dos polos opuestos.

Otra presencia tan importante o más que la de los pastores (y que no podemos obviar aquí, a pesar de la brevedad de estas líneas) es el lenguaje, el refinamiento de la forma. Una de las claves del Cantar es la riqueza plástica y, evidentemente, poco realista con la que se expresan los protagonistas, elocuencia que andando el tiempo heredará la novela pastoril del Renacimiento. El lenguaje está vivo y fluye, lleno de figuras. Los versos parecen estremecerse como las cuerdas de una lira cuando pasamos la vista sobre ellos; casi podemos sentir cómo respiran, el acezar de las oraciones. Para los que tienen ojos y ven, la obra resplandece como un cofre rebosante de gemas de una variedad singular, si se me permite el oxímoron: comparaciones y antítesis, requiebros, sabrosas sentencias, imágenes cuyo objeto es el mundo campestre, la leche y los dátiles, los higos, las tortas de pasas. A cada paso que damos nos envuelven las fragancias del Próximo Oriente: el nardo y el aloe, el alcanfor y el cinamomo. «Recolecté mi mirra con mi bálsamo, / mi panal con mis mieles he comido», leemos en los versos 188-189. Las zalamerías mutuas se suceden, se visten con las galas de la onomatopeya, el superlativo o la anáfora: «Ábreme tú, mi hermana, amiga mía, / paloma mía, mi perfecta, ábreme» (vv. 194-195). Hay perífrasis tan tiernas como las de los versos 50-51 («Yo, campanilla del Sarón ameno / y virgen azucena de los valles»), o cuando el amado (vv. 145-146) compara el cuello de la pastorcilla con la torre de David «hecha para aspilleras y baluartes», para a continuación referirse a sus «dos sedosos pechos, cual gemelos / de cabra nueva que entre lirios pacen» (versos 149-150). La delicadeza de algunas metáforas raya en lo conmovedor:

*¿Quién es esta que sube del desierto*
*como columna de humo, perfumada*
*con mirra y blanco incienso, más que polvo*
*de perfumista?*

(vv. 112-115)

Y todos esos símiles que puede que nos desorienten de buenas a primeras, pero que mantienen el encanto de su ingenuidad sin aderezos y una enorme fuerza expresiva.

Decíamos antes (y no ayer, como fray Luis, al que fue precisamente su traducción del Cantar lo que le costó una larga temporada en la cárcel) que el poema es una rara avis entre los libros que componen el Tanaj y la Biblia. Por sus orígenes no se le puede negar el sustrato religioso, y es de este hilo del que tiran los intérpretes midrásicos cuando hablan de la celebración de las bodas místicas de Yahvé con la congregación de Israel, mientras que sus homólogos del Vaticano prefieren verlo como una metáfora del progreso del alma humana en el amor hacia Dios, etc. «El Cantar de los cantares —dirá Rodríguez Marín en el prólogo de esta traducción— es un sublime diálogo entre Dios y la Naturaleza, alegóricamente representados por Salomón y Sulamita». Lo dicho, doctores tiene la Iglesia y a mí que me registren. Porque lo que es yo, como lector, prefiero ceñirme a la textura, la sensualidad primera, y no andar deambulando por un bosque de símbolos cabalísticos, dando palos de ciego. Yo, que como exalumno marista tengo bula de misa y olla, prefiero disfrutar de todos los aromas, no solo el del incienso, de todo el repertorio de esencias y la multiplicidad de las emociones humanas, de la misma manera que Bernini, para expresar la llama de amor viva que atravesaba el corazón de santa Teresa en medio de sus arrobos místicos, hizo de un trozo de mármol carne viva y turgente, y sobre todo gozosa.

«Este libro es venerable, todo él es precioso», proclamó el rabí tudelano Abraham ibn Ezra. *El Cantar de los cantares* es, por encima de todo, un poema de amor muy hermoso. Por eso cualquiera de nosotros, en este mundo global e hipertecnologizado en el que nos ha tocado vivir, tan distinto de la Palestina rural de hace veintitantos siglos, puede comprender e incluso empatizar con los escarceos de estos dos jóvenes pastores, compartir sus temores, sus entusiasmos, igual que nos emociona leer en Béroul el idilio de Tristán e Isolda o escuchar una balada de Leonard Cohen. Porque uno puede creer o no creer en la transubstanciación de la carne y la unión hipostática con Dios, pero, a fin de cuentas, ¿quién no se ha enamorado alguna vez como un idiota?

Domingo Alberto Martínez

# PRÓLOGO

Acometiendo una empresa aún no realizada en España, ofrezco al público una traducción en verso de *El Cantar de los Cantares*, según la verdad hebráica. Palabra por palabra he traducido el texto original, sin que me haya permitido añadir sino alguna breve frase que afirme y robustezca el sentido de la hebrea[2], o algún adjetivo oportuno, sacado, muchas veces, de la significación del sustantivo a que se adjunta[3].

Leer esta versión equivale, pues, a leer el original, máxime cuando, ajeno a toda suerte de preocupaciones y convencionalismos, no ha sido mi intento conseguir que el presente trabajo satisfaga a tal o cual religión, ni a tal o cual escuela.

---

2 Por ejemplo, en los versos 155 y 345:

Y mancha no hay en ti, «ni sombra de ella».
Flama terrible, «rayo que aniquila».

Las palabras impresas entre comillas no son traducción de otras del original.

3 Verbigracia, en los versos 96, 114 y 205:

Sobre les montes de Bether «fragosos».
Con mirra y «blanco» incienso, más que polvo...
Y mirra «amarga» y líquida mis dedos.

Las raíces de donde se derivan las palabras hebreas «bether», «Ibonáh» y «mor» («bathar», «labán» y «marar») llevan implícitas respectivamente las ideas de «fragosidad», «blancura» y «amargor.»

La exactitud de la traducción, conforme a los escasos conocimientos hebraicos que poseo: este es el único fin que he perseguido, ciñéndome al texto hebreo cuanto es dable al que traduce en verso, y procurando conservar los giros originales, el vigor de la expresión, la propiedad de las voces, la inimitable ternura de los conceptos y la elegantísima concisión del estilo oriental. En una palabra: he querido dar a conocer *El Cantar de los Cantares* de la Biblia, y no un *Cántico* mío avalorado con el augusto nombre de Salomón.

He aquí el grave defecto de que adolecen las versiones parafrásticas: en ellas no se consigna lo que plugo decir al autor, sino lo que place o acomoda escribir a los traductores. El pensasamiento de aquel, sus palabras, se deslien y se pierden entre muchas otras palabras y muchos otros pensamientos, acaso no distantes de la mente del autor; pero que siempre arguyen infidelidad por parte de quien traduce. Creo haber evitado tan lamentable escollo, gracias a la saludable y continua enseñanza oral de mi venerado maestro el Dr. García Blanco y a su traducción del mencionado libro bíblico, sin las cuales yo no me hubiera atrevido ni aun a comenzar el presente trabajo.

Cuatro palabras acerca de la significación y trascendencia de este dulcísimo idilio. *El Cantar de los Cantares de Salomón* o *como de Salomón* (que tanto lo uno como lo otro pueden indicar las palabras *ascher lischlomóh*), *El Sarao de los Saraos*, que así le llama mi respetable maestro, traduciendo casi como suenan los vocablos *schir aschirim*, es más que una canción erótica en que se celebren los amores y las bodas de dos ternísimos amantes, como creyera el pueblo hebreo; es más que una égloga mística, llena de alegorías cristianas relativas a la unión de Cristo con su Iglesia, como se ha imaginado y se cree por los católicos; es más, mucho más que todo eso: «los verdaderos protagonistas de este idilio —dice el Sr. García Blanco— son: *el Universo*, que busca a quien *volverse*, y *el Creador*, que ansia unirse, que se une hipostáticamente a la humanidad y a sus criaturas y quiere ver su Obra coronada cual esposa alegre, cuyas bodas han de santificarse por la unión mística y solemne de la primera causa con los últimos detalles, fines y efectos naturales y sobrenaturales de cuanto existe: los interlocutores son *el alma*, que ama, y *Dios*, digno de ser amado».

¿No basta tan atinada observación para convencer a algún lector descontentadizo? Pues vea quienes son o quienes pueden ser el Salomón y la Sulamita de la obra que traduzco: la Paz (*Schiulammit*) y el Pacífico (*Schlomóh*); un Esposo y su Esposa; el Cristo y su Iglesia; la Eternidad y el Tiempo; la Sabiduría y el Sabio; la Ciencia y el Arte; la Virtud y el Amor; la Verdad y el Justo; la Divinidad y el Hombre; la Justicia y el Derecho; la Gracia y el Mérito; la Salud y el Médico; la Vida y el Viviente; la Altura y el Valle; el Mundo y la Gloria, etc., etcétera. Esto, en cuanto a los protagonistas; por lo que respecta a los coros, a las hijas de Jerusalém, ellas representan y significan la armonía, las relaciones en que viven todos los seres creados. La escena acontece en el Universo; la orquesta es el admirable concierto del mismo; la aplicación y explicación, LA VIDA. Si esta amplia determinación no satisface a mis lectores, aténganse a encerrar el hermoso poema hebráico en el estrecho molde de una escuela o religión determinada, y por ellos la cuenta. Yo creo y confieso que *El Cantar de los Cantares* es un sublime diálogo entre Dios y la Naturaleza, alegóricamente representados por Salomón y Sulamita.

¿Qué más debo decir? Que para mi traducción he escogido el verso endecasílabo suelto, porque es el que más se presta a la exactitud de la misma y el que mejor corresponde a la carencia de rima del original; que hubiera sido para mí grave cargo de conciencia ofrecer al público una versión falsa del excelente libro de Salomón; que sin violencia alguna he evitado el caer en ciertas lubricidades en que malamente incidieron la Vulgata y el P. Scio, supuesto que en el original no se encuentran, y que, por último, deseoso del mejor acierto, he tenido a la vista para hacer esta traducción las obras siguientes:

La Biblia hebráica.

La versión Vulgata latina.

La Biblia interlineal de Xantes Pagnino, revisada y corregida por Arias Montano.

Las versiones españolas de Oasiodoro de Reyna, Cipriano de Valera, Scio y Torres Amat.

*La Paráfrasis del Cantar de los Cantares* escrita en verso español por Arias Montano.[4]

*La Traducción, glosa y comento del Cantar de los Cantares,* escritos por el Sr. García Blanco (inédita).

Y el *Primer Diccionario hebreo-español,* del mismo Sr. García Blanco (también inédito).

Para terminar: la Biblia, como conjunto de obras literarias de muy trascendental significación por las épocas en que se escribieron, por la civilización de que son reliquia y por el saber de quienes las redactaron, no merece, a mi juicio, ni la importancia de cierta índole que le atribuyen los

4 El Sr. García Blanco posee una copia de este curioso opúsculo, sacada de otra que a su vez lo había sido de la que poseía el Dr. D, Nicolás Heredero, catedrático de Elocuencia en Alcalá de Henares. De esta «Paráfrasis» nos han dejado noticia los archivos de la Inquisición. Propóngome darla a la estampa.

secuaces de las religiones positivas que en ella se cimentan, ni tampoco la injustificada aversión o el afectado desdén con que la miran algunos librepensadores, que, en el calor de su apasionamiento, llegan hasta negarle todo mérito literario. La lengua de Moisés es digna de concienzudo estudio, por sí misma, y porque en ella están escritas obras admirables, cuyo mérito solo puede aquilatarse debidamente leyéndolas en el original.

¡Estúdiese y venérese la lengua hebrea, única, entre las conocidas, en que todo se razona! ¡Estúdiese y venérese el idioma hebreo, que, sino es divino, lo parece por su innegable excelencia sobre los demás!

Y bien haya la hora en que el Dr. García Blanco me hizo gustar las delicias de la enseñanza hebráica y las inefables bellezas de la lengua de Salomón, inmortal autor del hermosísimo *Cántico* cuya traducción tengo el honor de ofrecer a Osuna y a España, al par que a mi bondadoso maestro.

# EL CANTAR DE LOS CANTARES

## CAPÍTULO I

ELLA A besos de su boca me secara:
Que buenos tus amores más que vino.
Para olor, tus riquísimos aromas;
Óleo sin igual tu nombre esparce:
Por eso aman en ti las almas puras.
Atráeme de ti en pos y correremos;
A sus cámaras tráigame el gran rey;
Saltemos, alegrémonos contigo;
Recordemos tus plácidos amores,
Más que vino agradables; rectitudes
Son de tu regio gusto. Zahonada,
Mas codiciable yo, de Salém hijas;
Como tiendas de cedro, o colgaduras
De Siomó. No miréis que yo morena,
Que el sol me sollamó; los propios hijos
De mi madre conmigo se irritaron;
Ellos a guardar cármenes pusiéronme;
Pero mi carmen no guardé, el más mío.
Tú, por quien siente dulce amor mi alma.
Hazme saber en dónde pastoreas
Y sueles sestear a medio día;
Que ¿para qué he de estar cual hateando
Por los rebaños de otros compañeros?

ÉL Si acaso no supieres dónde estoy,
¡Oh guapa más que todas las mujeres!
Ándate por las huellas del ganado
Y tus blancas corderas apacienta
Cerca de las cabañas pastoriles.
A mi yegua alazana en carruajes
De Farjó te comparo, amiga mía.
Hermosas tus mejillas estuvieran
Del pectoral en los vistosos turnos;
Tu cuello, con ensartas de corales.
Haremos para tí turnos de oro
Con granos de preciada argentería.
Hasta que, como rey, en redor suyo
Dé mi nardo su olor delicadísimo.

ELLA Hacecillo de mirra bien oliente
Mi amado es para mí; de amor tesoro:
Conmigo, entre mis pechos, él pernocte.
Racimo de ciprés, de alcanfor suave,
Es mi amor para mí, de Fuen-Cordero
En los floridos cármenes lozanos.

ÉL ¡Ay tú, qué guapa, compañera mía!
¡Qué guapa tú! Tus ojos, de paloma.

ELLA ¡Ay, tú, qué guapo, acariciado mío!
¡Qué gustoso y florido nuestro tálamo!
De nuestra casa las traviesas, cedro;
Nuestro enrejado, abrótanos fragantes.

## CAPÍTULO II

ELLA Yo, campanilla del Sarón ameno
Y virgen azucena de los valles.

ÉL Como azucena hermosa entre malezas,
Así entre las doncellas mi pastora.

ELLA Como manzano entre árboles del bosque,
Así es entre los jóvenes mi amado;
A su sombra deléitome y me siento;
Para mi paladar dulce es su fruto.
Trájome a la mansión del rojo vino
Y amor es la bandera que me impone.
Sustentadme con gratas chucherías;
Robustecedme con sabrosas pomas.
Que enferma de amor yo. Su izquierda mano,
Bajo de mi cabeza, y su derecha
Me abrazará.

ÉL Conjuróos, solimitas,
Por cabras, ciervos y árboles del campo,
Si al amor despertáis hasta que quiera.

ELLA ¡Ay, la voz de mi amado! Ese que viene
Saltando por los montes; el que cruza
Por los collados. Semejante al chivo

O al cervatillo es: hete allí, estando
Tras de nuestra pared, a las ventanas
Se asoma; está mirando por las rejas.
Mi fiel amante respondió y me dijo:
«Álzate y ven, mi amiga, guapa mía;
Que el invierno pasó, cesó la lluvia;
Se fue; las flores vense por la tierra;
Ya de la poda se aproxima el tiempo
Y la voz de la tórtola se oye.
La higuera condimenta ya sus higos
Y las vides en trama dan su aroma:
Álzate y ven, mi amiga, guapa mía».

ÉL ¡Oh, mi tierna paloma, en agujeros
De roca, en escondite de albarrada!
Déjame ver tu seductor semblante
Y hazme escuchar tu acento melodioso;
Que tu acento es jarabe apetecible
Y tu semblante espléndida hermosura.
Atrapadnos raposas, raposillas
Que cármenes esquilman, pues en trama
Ellos se encuentran.

ELLA Para mí es mi amado
Y yo soy para él, que entre azucenas
Apacienta su grey. Hasta que el día
Apunte y huyan las nocturnas sombras,
Vuelve, sube, aseméjate, mi amado,
Al gamo O al hijuelo de los ciervos
Sobre los montes de Bether fragosos.

## CAPÍTULO III

ELLA En mi lecho buscara por las noches
A quien ama mi espíritu; buscárale
Y no le hallé. Levántome y doy vueltas
Por el pueblo; por calles y por plazas
Buscara a quien mi espíritu prefiere;
Le busqué sin hallarle. Me encontraron
Los guardas que dan vueltas por el pueblo.
«¿Visteis a aquel a quien adora el alma?»
Apenas por allí pasado hube,
Cuando encontré a quien amo; le así entonces
Y no habré de soltarle hasta traerle
A casa de mi madre y a la alcoba
De la que me engendró.

ÉL Conjuróos, hijas
De Salém, por los ciervos o las cabras,
Si al amor despertáis hasta que quiera.

ELLAS ¿Quién es esta que sube del desierto
Como columna de humo, perfumada
Con mirra y blanco incienso, más que polvo
De perfumista? Mira aquí su lecho,
Como de Salomón: sesenta fuertes
Alrededor de él, de los más bravos

Y fuertes israelitas. Todos ellos
Ciñen espada y doctos son en guerra;
Cada cual con la espacia sobre el muslo,
Terror da por las noches. Hizo aprisco
Para sí Salomón de las maderas
Del Líbano: de plata sus columnas,
De oro el reclinatorio, y su carroza,
De púrpura; su medio, teselado
De amor, más que las bellas solimitas.
Salid y ved, sionitas, en el rey
Salomón la corona con que ornole
Su madre, en el gran dia memorable
De su consagración; en aquel dia
En que latió su corazón de júbilo.

## CAPÍTULO IV

ÉL ¡Ay tú, qué guapa, compañera mía!
¡Ay tú, qué guapa! Tus radiantes ojos
de paloma, por entre tus guedejas;
Tu cabellera, como grey de cabras
Que del monte Guiljad se descolgaron.
Tus dientes, cual rebano de tundidas
Que de la charca suben, y que todas
Van pariendo gemelos, sin que estéril
Haya ninguna entre ellas ni vacía.
Como cordón de púrpura tus labios,
Y tu palabra, almíbar deleitable;
Como rojo pedazo de granada
Tu mejilla por entre tus guedejas.
Como la torre de David tu cuello,
Hecha para aspilleras y baluartes;
Pendiente de ella está millar de escudos:
Todas las armaduras de los fuertes.
Tus dos sedosos pechos, cual gemelos
De cabra nueva que entre lirios pacen.
Hasta que apunte el día y las nocturnas
Tinieblas huyan, de la mirra al monte
Ireme y al collado del incienso.
Toda tú guapa, compañera mía,
Y mancha no hay en tí, ni sombra de ella.
Conmigo de Albanón, callada esposa.

Conmigo vendrás tú: desde la cumbre
De Amanáh mirarás; desde la cima
De Senir y Germón; desde cavernas
De leonas y montes de leopardos.
El corazón herísteme, mi hermana;
Esposa mía, el corazón llagásteme
Con uno de tus ojos esplendentes,
Con tan solo un collar de tu garganta.
¡Qué hermosas son, mi hermana, tus caricias,
Oh mi esposa y mi amor! ¡Cuánto más buenos
Tus amores que vino deleitoso!
Y el olor de tus óleos, aromático
Más que todos los bálsamos fragantes.
Panal sabroso de tus labios fluye;
Miel y leche debajo de tu lengua
Y el delicado olor de tus vestidos
Es como olor del Líbano suave.
Huerto cerrado, esposa, hermana mía;
Cerrada fuente, manantial sellado.
Paraíso de granados tus renuevos,
Con fruto del mejor; nardos con cipros.
Nardo y cúrcoma, caña y cinamomo,
Con los árboles todos del incienso;
Mirra y alóes y otros mil aromas.
Fuente de huertos, pozo de aguas vivas
Y corrientes del Líbano frondoso.

ELLA Levántate, Aquilón; ven. Austro, llega
A soplar mi jardín; fluyan sus bálsamos;
A mi hermoso jardín venga mi amante
Y coma de ses frutos excelentes.

## CAPÍTULO V

ÉL Vine a mi huerto, hermana mía, esposa;
Recolecté mi mirra con mi bálsamo,
Mi panal con mis mieles he comido
Y he bebido mi vino con mi leche.
Camaradas, comed; bebed, amados:
Saciaos.

ELLA Yo dormida, mas despierto
Mi corazón; voz de mi amor que llama:
«Ábreme tú, mi hermana, amiga mía,
Paloma mía, mi perfecta, ábreme:
Mi cabeza llenóse de rocío;
Mis cabellos, de escarchas de la noche».
— «Héme ya despojado de mi túnica.
¡Ay, que eres tú! ¿Me vestiré? He lavado
Mis pies. ¡Ay, que eres tú! Y ¿ensuciarémelos?»
Mi amor metió su mano desde afuera,
Y se tumultuaron mis entrañas.
Para abrir a mi amado levantóme
Y ambas mis manos destilaban mirra
Y mirra amarga y líquida mis dedos,
Sobre las manecillas del cerrojo.
Abríle yo a mi amado, mas mi amado
Apartóse, pasó; salí yo misma
Con ansia por hallarle: le buscaba
Y no le hallé; llámele y no responde.

Halláronme los guardas que dan vueltas
Por la ciudad: hiriéronme; llagáronme;
De sobre mí mi velo levantaron
Guardas de las murallas. Yo os conjuro,
Jerosolimitanas: si encontráis
A mi querido, ¿qué saber le haréis?
Que enferma de amor yo; que de amor muero.

ELLAS Pues ¿qué más es tu amado que otro amado,
Oh guapa sobre todas las mujeres?
Di, ¿qué es tu amado más que otro cualquiera,
Que así, de modo tal, nos conjuraste?

ELLA Mi amado es blanco y rubio y escogido
Entre mil. Su cabeza es oro puro;
Renuevos son de palma sus guedejas,
Tan negras como el cuervo. Son sus ojos
Como palomas, sobre arroyos de aguas,
Que se bañan en leche; que se posan
Sobre pileta llena. Sus mejillas.
Era de aromas y fragantes flores;
Sus labios, azucenas que derraman
Líquida mirra cuyo olor trasciende.
Sus manos, de oro anillos, esmaltados
Con topacios crisólitos tartesios;
Y su albo pocho, de marfil blancura,
Cubierto de zafiros. Son sus piernas
Columnas de blanquísimo alabastro,
Fundadas sobre andenes de oro puro.
Su aspecto, como el Líbano; escogido,
Como los cedros; su sabor, dulzuras;
Deseos todo él: este es mi amado
Y este mi camarada, solimitas.

## CAPÍTULO VI

ELLAS ¿Hacia dónde marchó tu bien amado,
Oh guapa más que todas las mujeres?
¿Hacia dónde volvióse tu querido?
Dilo y contigo iremos a buscarle.

ELLA A su jardín mi amado descendiera,
Del bálsamo a las eras aromáticas,
A apacentar por los amenos huertos
Y a coger azucenas olorosas.
Yo de mi amado soy; mi amado mío,
El que en las azucenas apacienta.

ÉL Guapa eres tú como Tirtsáh, mi amiga,
Y cual Jerusalém apetecible;
Terrible como huestes ordenadas.
Vuelve de contra mí tus bellos ojos,
Porque ellos me enredaron y vencieron.
Tu cabellera, como grey de cabras
Que del monte Guiljad se descolgaron.
Tus dientes son cual rebañil de ovejas
Que de la charca suben y que todas
Van pariendo gemelos, sin que estéril
Haya ninguna entre ellas, ni vacía.
Como rojo pedazo de granada
Tu mejilla por entre tus guedejas.
Sesenta son las reinas que me sirven

Y ochenta concubinas, y doncellas
Sin número. Una sola mi paloma,
Mi perfecta; una sola de su madre;
Para quien la parió creada fuera;
Las doncellas la ven y felicítanla
Reinas y concubinas y la alaban.

ELLAS ¿Quién esa que aparece como aurora,
Guapa como el albor, como el sol pura,
Terrible como huestes ordenadas?

ELLA Al huerto descendí de los nogales,
A ver por los verdores del torrente;
A ver si ya brotaba la vid seca
Y los verdes granados florecían.
No sé: mi fantasía me propone
De mi espontáneo pueblo cabalgatas.

## CAPÍTULO VII

ELLAS Vuelve, vuelve, ¡oh graciosa Sulamita!
Vuelve, vuelve, y en tí nos mi raicemos.

ÉL Pero en la Sulamita, ¿qué veréis?
Como huella y señal de dos manadas.
¡Cuán hermosos tus pies en sus calzados,
Oh admirable princesa! Los contornos
De tus mórbidos muslos, como ajorcas,
Obra de manos de excelente artífice.
Tu ombligo es una taza torneada;
No le falta la mezcla confortante;
Y tu vientre, montón de rubio trigo
Cercado de azucenas. Tus dos pechos
Cual dos hijuelos son de cabra nueva.
Es tu albo cuello cual ebúrnea torre;
Tus ojos, como albercas fabricadas
En Gesbon, A la puerta de palacio;
Tu correcta nariz, torre del Líbano
Que mira hacia Damasco. Tu cabeza
Sobre tus hombros, tal como el Carmelo;
Y tu hermoso cabello, como púrpura:
Rey asido con rizos abundosos.
¡Ay tú, qué guapa y cuán gustosa eres!
¡Oh amor delicadísimo! Tu talle,
Como palma; y tus pechos los racimos.

Y dije: «Subiréme por la palma;
Asiréme a sus vástagos, y sean
Cual racimos de vid tus castos pechos;
Y el grato olor de tu nariz, cual pomas;
Y tu gusto sin par, vino excelente,
Que hacia mi dulce amor viene a derechas;
Que hace hablar a los labios adormidos».

ELLA Yo soy para mi amado, y su deseo,
Sobre mí. Ven, mi amor, vamos al campo:
Salgamos y en las granjas y en las chozas
Pernoctaremos. Para ver los cármenes
Hemos de madrugar y allí veremos
Si brota ya la vid, abre la trama
Y florecen los fértiles granados:
Allí tengo de darte mis caricias.
Ya olor dan las mandrágoras y sobre
Nuestras puertas está lo delicado,
Nuevo y viejo. Mi amor para tí escondo.

## CAPÍTULO VII

ELLA ¡Quién te pusiera como hermano mío
Que mamó de los pechos de mi madre!
Te hallaría en la plaza, besaríale
Sin que me despreciasen. Te llevara,
Venir a casa de mi madre hiciérate;
Tú me enseñaras y beber te haría
Aromático vino, suave mosto
De mis granadas. Su siniestra mano,
Bajo de mi cabeza, y su derecha
Me abrazará.

ÉL Conjuróos, solimitas:
¿Para qué urgís y para qué intentáis
Despertar al amor hasta que quiera?

ELLAS ¿Quién es esta que sube del desierto,
Sobre su bien amado recostándose?

ELLA Te desperté debajo de un manzano;
Allí te concibió tu madre tierna
Y aquella te parió que te engendrara.
Sobre tu corazón ponme cual sello
Y cual sello también sobre tu brazo;
Que recio es el amor como la muerte;
Duro como el sepulcro es el encono;
Sus raspas, raspas son de vivo fuego;

Flama terrible; rayo que aniquila.
Las muchas aguas extinguir no pueden
El ígneo amor, y ríos caudalosos
No logran anegarlo: si uno diera
Por él de su mansión todo lo rico,
A todo despreciar lo despreciaran.

ELLAS Párvula hermana nuestra, que aún no tiene
Pechos, ¿qué haremos cuando llegue el día
En que por ella se hable? Si ella muro,
Labraremos sobre él torre de plata;
Y si puerta, aprestemos sobre ella
Tabla cedrina.
Ella. Muro yo, y mis pechos
Como dos fuertes torres; fui a sus ojos
Como quien halla paz y beneplácito.
Salomón tuvo un carmen de delicias
Allá en Baaal-Hamon; diolo a unos guardas
Y cada cual le trajo por su fruto
Mil de plata. Mi carmen, el más mío.
Delante de mí está: los mil argénteos
Para tí, Salomón; doscientos quedan
Para los que su fruto han custodiado.

ÉL ¡Oh tú, mi amada, que en los huertos moras!
Atentos a tu voz están amigos;
Hazme escuchar: «Mi amor, huye, aseméjate
Al gamo o al hijuelo de los ciervos
Sobre montes de bálsamos fragantes».

## NOTAS

Verso 1º. —*Secárame a besos*, frase hiperbólica con que traduce el Sr. García Blanco a *yisscliaqueni minschiqoth*, que es, a todas luces, un superlativo. Así la traducción resulta más española que diciendo como el P. Scio: *Béseme él con el beso de su boca*; por más que la Academia, en la última edición de su *Diccionario* no da cabida a aquella locución, sino a la de *comerse a uno a besos*.

Verso 2º. — *Tus amores; amores tui*, y no *ubera tua* y *tus pechos*, que tradujeron la Vulgata y el P. Scio, confundiendo *dod=amor, cariño, caricia*, con *dad=mama*. Scio en su *Biblia Vulgata Latina traducida al Español*, con notas (3.ª edición, t. viii, pág. 185), confiesa que *dodeka* significa *tus amores*; pero añade: «El sentido es el mismo».

Verso 4°. — *Schemem tJiuraq schmeka* dice el original, que la Vulgata tradujo: *Oleum effusum nomen tuum*, ¿Quién ha hecho a *¿thuraq=effusum*? ¿Por donde *thuraq* es participio *pahul*?

Verso 5º. — Traduzco *jalamoth* por *almas puras*, atendiendo a la raiz *jalam=ocultar*, de donde *jalmáh*, *la oculta=alma*.

Verso 6.° — La Vulgata: *curremus in odorem unguentorum tuorum*. No hay tal olor ni tales ungüentos en el original.

Verso 9º. Otra vez *dodeka*, y otra vez la torpe y errónea traducción de la Vulgata.

Versos 10º y 11º. *Recti* dijo la Vulgata para traducir a *mescharím*. No así Arias Montano, que, corrigiendo a Xantes Pagnino, dijo *rectitudines*.

Versos 13 y 14. —La Vulgata, *sicut pelles Salomonis*=como *las pieles de Salomón*, para traducir *kirijoth*, de *yarâj=extendere*. Pagnino y Arias Montano, *sicut cortincae*.

Verso 17. — *Cármenes=kramim*, plural de *kerem=jardín* o *huerto ameno*; de raíz *karâm=ser de índole noble y generosa*, así el hombre como la tierra (García Blanco, *Primer Diccionario hebreo-español*). En Granada aún se llaman cármenes (del árabe *carm*) las quintas con huerto o jardín que sirven para recreo en el verano.

Verso 22. — *Hatear=ir de hato en hato*. La Academia no conoce esta acepción.

Verso 25. — El Sr. García Blanco traduce constantemente *a yaphâh* por *guapa* con tanto más motivo, cuanto que de la raíz *yaphâh* o *waphah=pulcher fuit*, se originó el adjetivo español *guapo, a*, que en la segunda edición del *Diccionario* de la Academia significa, entre otras cosas, *pulcro*. Cómo *yaphéh* y *yaphâh=waphéh* se hayan convertido en guapo y guapa nuestro, fácil será de comprender, observando que *hueco*, *hueso*, *huevo*, etc. son para nuestro vulgo *güeco*, *güeso*, *güevo*, etc; que *Joseph* se suele decir en España *Jusepe* y se dice en Italia *Giuseppe*; que de *kaphâh=cubrir* proviene nuestra voz *capa*, por más que la Academia la hace descender de *capere* latino=*coger* (!), y que de la raíz hebrea *phut=ser despreciable*, se ha originado una palabra que no me atrevo a consignar aquí, y que la consabida Academia deriva de una voz latina, que tampoco trascribo, y significa *muchacha*. ¿Qué sabe de etimologías la Academia? Así, no me extraña que haya delirado al imaginar que el adjetivo *guapo* pueda provenir de la palabra griega *gauros*. La *ro=r* no es susceptible de convertirse en nuestra *p*.

Verso 26. — Scio, *tras de las huellas*, traduciendo a *post vesligia* de la Vulgata; para decir *tras de*, diría el original *ajaré jigbé*, y no *bjigbé*. Arias Montano, *in vestigia*; y es que el *beth moschéh wkaleb* no significa *post* más que para el traductor vulgato.

Yerso 27. — *Corderas* y no *cabritos*, que dice el P. Scio; *gdiyath* es femenino. Arias Montano, entendiéndolo así, dijo: *capellas tuas*.

Verso 29. — *Equitatiú meo* tradujo la Vulgata; y el P. Scio, consecuente en trasladar al español tantos dislates, vierte: *A mi caballeria*. — *A mi yegua* dice el original.

Versos 31 y 32.— *Bthorim*, que Scio y la Vulgata traducen *asi como de tórtolas=sicus turturis*. ¿Puede darse mayor disparate? Creyeron al *beth* un *kaph*; no sabian ni leer hebreo. *Thor* significa *tórtola*, por derivación de *thur=rodear*, con alusión al collar que *rodea* el cuello de la tórtola.

Verso 33. — La Vulgata, *sicut monilia*; el padre Scio, como *collares*: otra vez el *kaph=como*, en lugar del *beth=en*, *con* o *por*. Aquí, prescindiendo de la ortografía castellana, como los vulgatos prescinden de conocer el hebreo, se podría decir: «*O errar. o quitar el banco*».

Verso 34.— La Vulgata y Scio, *murenulas áureas=cadenillas de oro*. Pero, padre, ¿qué significa *thoré*? ¿*La tórtola*, como antes ha dicho vuesamerced? Pues provea por lo proveído y diga ahora: *tórtolas de oro*.

Verso 35. — *Vermiculatas* dice la Vulgata, y el P. Scio echa el repulgo a la empanada diciendo: *nieladas de gusanillo*. *Naqad* significa *puntar*, y *puntos* y *gusanillo* son dos cosas distintas. Además, no hay tal *nieladas* en el original.

Verso 36.— El *dum esset* de la Vulgata y el *cuando estaba* de Scio no están en el original, que dice *jad schehammélek*; ni hay tal *in accubitu súo*, ni tal *en su reclinatorio*, sino *bimsibbó=en su rededor*, *a su vuelta* (de *sabab=circiúre*), que la Vulgata leyó *bimsikkó*, que equivaldría a *en su solio*, y no tampoco a *in accubittu=en su reclinatorio*. ¿Hay, por ventura, en el original la palabra *sakab=accumbere*?

Verso 39.— Digo *de amor tesoro*, no tanto por completar la medida del verso cuanto por conservar el sonido de las palabras *tsror hammor=fasciculus myrrhae*.

Verso 47. — *Gustoso*, de *najam=consolar*, en vez del *floridus* de la Vulgata. Arias Montano, *jucundus*.

Verso 49. — Traduzco *brothim* por *abrótanos*, no solo para conservar en lo posible las radicales de la palabra hebrea, sino también atendiendo al mejor sentido de la frase original.

Verso 50. — Del *Scharón*, del *Gran Sarao*, al decir de mi maestro: campanilla que convoca a los humanos a que asistan al *Gran Sarao* (*Scharón*, aumentativo entre los hebreos, como entre nosotros), a la gran fiesta de la Naturaleza, que celebra sus amorosos desposorios con Aquel que la creó.

Verso 51. — Siempre que el verso lo permite traduzco *schoschannat* y *schoschannim* por *azucena* y *azucenas*; porque aunque esta palabra nos haya venido de los árabes, es lo cierto que hay parentesco no lejano entre ella y la hebrea.

Verso 59. — La Vulgata, *ordinavit in me charitatem*. Creo más acertada mi traducción. Decidan los inteligentes no preocupados.

Verso 60. — Con *chucherías=bhaaschischoth*, que al decir de los lexicógrafos, son cierta pasta hecha de uvas, pasas y miel, casi como nuestro pan de higos, a que se le añaden y añadían especias olorosas y todo género de condimento aromático: nuestras *chucherías*, «cosas de comer apetitosas y no de mucha costa», según el *Diccionario*.

Verso 62. — La Vulgata, *quia amore langueo*, buena frase latina, aunque no traduzca fielmente el original, que no dice sino lo que en el texto queda consignado.

Verso 74. — La Vulgata y Scio añaden *columba mea=paloma mía*, que no está en el original.

Verso 79. —No *protulit*, como dice la Vulgata, ni *brotó sus brevas*, como traduce el P. Scio; sino *condivit*, de *condio, is=madurar*, *sazonar*, *condimentar*.

Verso 80. — En lugar de *las vides en trama*, que la Vulgata dice *vineae forentes* y el P. Scio las viñas en cierne, dicen Pagnino y Arias Montano *uvae minutae*.

Verso 86. — *Jarabe*, que tanto proviene del árabe *xarab* como del hebreo *járeb* o *jéreb* (mezcla dulce) que es la palabra que juega en el original. Tenía Scio nuestra palabra *jarabe* para traducir a *járeb*, y dijo sin embargo: *porque tu voz es dulce*. El caso era huir del hebreo, que huele a azufre.

Verso 88.— La Vulgata, *Capite nobis vulpes parvulas*, prescindiendo de la repetición del sustantivo *schujalim*.

Versos 92 y 93.— Scio, *hasta que sople el día*. ¡Buen castellano! ¡Soplar el día! ¡Y la Academia nos ha soplado como escritor clásico al padre Scio!

Verso 111. — La Vulgata, *neque evigilare faciatis dilectam*. No hay tal *dilectam* en el original, sino *eth haahabáh*, que significa a el amor. Engañó a la Vulgata la terminación femenina de esta palabra. No hay para qué decir que también erró el P. Scio.

Verso 117. — *Alrededor de él*, y no *ambiunt* solamente como dice la Vulgata, que no traduce el *laj=a ella=a la cama*. Además, *sabib* no es ni puede ser *ambiunt*: como que no es verbo. Arias Montano, *circum eum*.

Verso 121. — La Vulgata traduce *afpiryon* por *ferculum*, que así hace a *silla de manos* como a feretro, supuesto que es originario de *fero*, *fers*. Yo, siguiendo al Sr. García Blanco, traduzco *aprisco* palabra que tiene casi las mismas letras que la original y es más propia de pastores. De dónde los diccionarios hayan sacado que *afpiryon* significa *silla gestatoria* o *lectica*, no se adivina, porque solo esta vez sale en la Biblia dicha palabra hebrea.

Versos 124 y 125. — La Vulgata, *ascensum purpureum*, en vez de *carroza de púrpura*; esto es, forrada de púrpura. *Merkabó=su carroza*; *vehiculum ejus*, que dice Arias Montano.

Versos 125 y 126. — *Su medio, teselado de amor*, en vez de *lo de enmedio lo cubrió de amor*, como dice el P. Scio traduciendo a *media charitate constravit* de la Vulgata, expresión anfibológica e inexacta. Tampoco dice el original propter filias Jerusalem, sino *más que hijas de Jerusalém: mibnólh*. El *mem moschék wkaléd* no puede significar *propter*, ni *por*, como traduce el P. Scio, sino *de* o *más que*.

Verso 134. — Por *entre tus guedejas*, que la Vulgata dijo *absque eo, quod intrinsecus latet* el P. Scio vertió *sin lo que está oculto por de dentro*, dejando entender aquella y este una lubricidad que ciertamente no está en el original, que dice: *mi-ba'ad le tsammathek*. Arrancar del *Cántico* esta torpe y baja alusión costó a Fr. Luís de León algunos años de encierro en los calabozos del odioso tribunal de la vela verde. iQué infamia! Xantes Pagnino traduce *intra cincinnos tuos*, que Arias Montano corrige diciendo *intra comam tuam*.

Verso 136. — La Vulgata y el P. Scio, *Galaad*, para traducir a *Guiljad*. Por dónde el *jayin*, la letra de más fuerte pronunciación del *alephato* hebreo se haya convertido en una simple y suave *a*, cosa es inaveriguable.

Verso 144. — Otra vez *mi-ba'ad le tsammathek*, y otra vez la torpísima traducción de la Vulgata y el P. Scio.

Verso 146. — *Ædicata est cim propugmculis* dice la Vulgata para traducir a *banuy lthalphiyoth*, ¿Cuándo el *lamed* significado *cum*? *Fabricada* con *baluartes* vierte el P. Scio. ¡Víctor al autor clásico!

Verso 150. — La Vulgata traduce a *tsbiyáh* por *caprecae*, y Scio a *capreae* por *de corza*. ¡Y asegura que traduce la Vulgata! ¿Es que el reverendo escolapio sabía tanto latín como hebreo y como castellano? Indudablemente.

Verso 151. — Aquí vuelve a *soplar el día* en la traducción del P. Scio.

Versos 157-159. — La Vulgata vierte: *coronaberís de capite Amana, de vértice Sanir et Hermon, de cubilibus leonum, de montibus pardorum*: malo era ya esto, supuesto que *thaschuri* no significa *coronaberis*, sino *prospicies*, como traducen Pagnino y Arias Montano, y supuesto que una misma palabra, rosch, se traduce por dos distintas, *capite*, y *vertice*; pero más mala aún es la versión del P. Scio, que dice: *serás coronada de la cima de Amaná, de la cumbre de Sanir y Hermon, de las Cuevas de los leones, de los montes de los leopardos, como quien dice, coronada de flores*. ¿Dónde había la esposa de tener cabeza para ser coronada de tantas y tales cosas? Además, los *leones* deben ser *leonas* porque el original dice *arayoth*, que es a todas luces femenino; para lo primero diría *araim* y bien pudo decirlo Salomón si hubiera querido, ya que, por cuestión de cronología, al menos, no podía irle a la mano el P. Scio. Bien lo entendió Arias Montano, que dijo *de habitaculis leonarum*.

Verso 163. — La Vulgata, *in uino oculorum*; hubiera dicho como Arias Montano in uno *ex oculis tuis*, y mejor se acreditaría de buen latino el traductor vulgato.

Versos 165 y 167. — Vuelven la Vulgata y Scio a hablar de los *pechos*, para traducir a *dodayik=amores tui*, ¡Qué ignorancia, o qué propensión!

Verso 173. — *Lbnón* no es *incienso*, sino *Líbano*, Para *incienso* diría el texto *lbonáh*.

Versos 174 y 175. — La Vulgata: *Hortus conclusus soror mea sponsa, hortus conclusus, fons signatus*. El primer *hortus* corresponde a *gan*, y está bien traducido; pero el segundo corresponde a *gal* y *gal* no es *hortus*. Por otra parte, *conclusus*, de *concludo*, más bien significa *concluso* o *concluido* que *cerrado*; para esto debería haber dicho *conclausum*, de *claudo* ya que no *offirmatus* u *obseratus*, como dicen respectivamente Xantes Pagnino y Arias Montano, para traducir a *najul*.

Verso 176. — *Paraíso de granados*, y la Vulgata, *paradisus malorum punicorum*, traduciendo bien a *pardés*, de donde indudablemente tomó origen la palabra *paraíso*, por más que la Academia haya ido a buscar la etimología al persa, al latín y al griego. El P. Scio, aun traduciendo a la Vulgata, aquí no la siguió: dijo *vergel*. ¡Tanto horror profesaba al original, acaso por no oler a judaizante!

Verso 177. — *Con fruto del mejor: mgadim*; no *cum pomorum fructihts*. *Nardos*; en plural, padres vulgatos; que por algo y para algo dirá el original *nradirm*, y no *nerd*, como dice después. Y aquí conviene hacer notar que de esta palabra hebrea proviene nuestro sustantivo *nardo*, antes que del latín nardus y del griego nardos, mal que le pese a la Academia.

Verso 170. — La Vulgata, *cum universis lignis Libani*, ahora que dice el texto *lbonáh=incienso*, si no llamamos a eso don de errar, no sé cómo habremos de llamarlo.

Verso 182. — *Quae fluunt impetu de Libano*, dice la Vulgata. No hay tal *impetu*: el original dice *nozlim=corrientes*. Por lo demás, ha sonado la flauta por casualidad: he aquí que siquiera una vez el vulgato ha traducido a *lbanón* por *Líbano*. ¿Es *Líbano*, o es *incienso*? ¿En qué quedamos, padre?

Verso 195. — La Vulgata, *inmacutata mea*, desconociendo que *thammathi*, de *thamam=perfecuum esse*, no significa *inmaculada mía*, sino *perfecta mia*.

Versos 199 y 200. — En vez de por *¡ay, que eres tú!*, la Vulgata traduce a *ekákah* por *quomodo*. Para decir *como*, con *ek* bastaba; *ekákah* significa *¡ay, que tú!* o *¿cómo tú?*

Verso 201. —La Vulgata, en lugar de *desde afuera*, dice *per foramen*, para traducir a *min hajor*. *Min* no es *per*, sino *desde*; y *hajor* no es precisamente el agujero, sino *lo de afuera*, y *lo que da paso a lo de afuera*. Traduciendo así se evitan pretextos para caer en lubricidades innecesarias. *Hajor* significa *foras*, de donde salió *forare* y *foramen*; pero ¿a qué apelar a esta última palabra, ni a la española *horado* o *forado*, cuando la del original se puede traducir muy propiamente por el adverbio *foras=afuera*?

Verso 202. — *Et venter meus intremuit ad tactum ejus*, vierte la Vulgata, y el P. Scio, *y a su toque se estremecieron mis entrañas*; y advierte este en la nota que «así el Hebreo». Inexacto: el original dice *wmejáy jamu jaláu=y mis entrañas conmoviéronse sobre ello* o *por ello*; *et viscera mea tumulluaverunt super eo*, que escribe Arias Montano. ¿Dónde está el *vientre*, ni el *intremuit*, ni, especialmente, el *tactum ejus*, o su togue, cuando lo que hay en el original es *jaláu*? Está en las imaginaciones de los traductores, que soñaban a cada paso obscenidades sin cuento. ¡Pura piedad y pura continencia!

Verso 205. — El original dice mor *jobér=mirra liquida*, *jabar=transire*; no *pleni myrrha probatissima*, como vierte la Vulgata, poniendo de su cosecha *pleni*. Xantes Pagnino y Arias Montano, *myrrham transeuntem*.

Verso 206.— La Vulgata y Scio, prescinciendo de que el verso hebreo no ha terminado, sino que va a decir por dónde corría la mirra, *jal cafpoth hammanjul*, hacen comienzo de otro verso a estas palabras y traducen: *Pessulum ostii mei aperui dilecto meo=abri a mi amado el pestillo de mí puerta*. Todo anda así. ¿A qué palabras del original corresponden las palabras *ostii mei*? ¿Por qué vocablo se ha traducido a *jal*? ¡Mentira parece que vengan pasando por traducción tales y tantos dislates!

Verso 208. — *Naphschi yatsáh=mi alma salió*; eso es *salí yo misma*, según los buenos diccionarios: *anima mea* puesto en lugar de *ego met*. La Vulgata traduce a *yatsáh=exire* por *liquefacta est*; pero ni *yatsáh* significa *liquescere*, ni mucho menos *liquefieri*.

Verso 209. — *Ut locutus est*, dice la Vulgata, y Scio, *luego que habló*. El original, *bdabbró=por hablarle*.

Verso 213. — La Vulgata, *tulerunt pallium meum mihi*; el hebreo, *nasú=levantaron*, y no *tulerunt*, ni *lleváronme*, como dice el P. Scio.

Verso 228. — El original, *jal mi'leth=sobre pileta llena*, para traducir el nombre *mi'leth*, originario de *malá* en forma *pikel*, por palabras que correspondan en radicales a la original. Y tanto corresponden las voces *pileta llena*, como que ambas provienen de *pleo* latino, y este de *malá* hebreo, sustituida la *m* por la *p*, que se reemplazan frecuentemente, por pertenecer al grupo de las *bumaph* o labiales. La Vulgata traduce *juxta fluenta plenissima*, y el P. Scio, *junto a corrientes muy copiosas*. No hay tal *fluenta*, ni tales *corrientes*, ni tales plurales; sino *jal mil'leth*, femenino singular.

Verso 240. — *Wcul'lo majamaddím=y todo él deseos=et totus ipse desideria*, que vierten Pagnino y Arias Montano; *nó et totus desiderabilis*, ni *todo él deseable*, como dicen la Vulgata y Scio. En primer lugar, les faltó traducir la *afija de él*; y en segundo lugar, pusieron por *desiderabilis á majamaddim*, que es un nombre plural originario del verbo *jamad=desi derare*.

Verso 252. — La Vulgata traduce a *klhirtsáh* por *suavis*; pase que por significar la raiz *ratsáh ser benévolo*, significara *aquella voz benévola*, y no *suave*; pero ¿y el *kaph=como*? ¿De qué modo lo traducen la Vulgata y Scio?

Versos 255 y 256. — *Averie oculos tuos a me, quia ipsi me, quiq ipsi avolare fecerunt*, dice la Vulgata; y Scio, *aparta de mi tus ojos, porque ellos me hicieron volar*. No dice el original *aparta de mi tus ojos*, sino, por el contrario, *haz volver a tus ojos de contra mi*. Por lo demás, no hay tal *avolare*, que hizo volar al P. Scio por los espacios imaginarios; porque *hirhibúni*, de *rahab*, no es volar ni puede serlo.

Verso 258. — La palabra *scheggalschú* no significa *apparuerunt*, como creyó el vulgato, sino se *desgalgaron* o *descolgaron*.

Verso 264.— Otra vez *mibbájad ltsammatheh* — en el original, y la Vulgata, consecuente con sus propósitos, *absque ocultis íuis*. ¿Dónde está el *ocultis*? De *ocultis* era preciso que se hubiera leido sierapre versión tan ocasionada a obscenos dislates.

Verso 280. — La Vulgata, *anima mea conturbavit me propter quadrigas Aminadab*. No hay tal *Aminadab* en el Hebreo: lo que hay es *jammí nadib=mi pueblo espontáneo*. La Vulgata leyó por una las dos palabras y equivocó una vocal con otra, comiéndose el *yod* de la palabra *nadib*, pues con él nunca podría decir *nadáb*. No es mal recurso hacer nombres propios a cuantas palabras no entendió el traductor: así salen en la Vulgata gazafatones como aquello de *Tu siccasti fluvios Ethan*, en vez de *tú secaste ríos perennes*. Obsérvese, además, el buen castellano que gasta el P. Scio: *mi alma se conturbó por los carros de Aminadab*. Eso es echar *por* los cerros de Úbeda, *por* la vía de Tarifa y *por* los bancos de Flandes.

Verso 284. — La Vulgata, *nisi choros castrorum*, y Scio, *sino coros de escuadrones*. En el original no hay *sino*, ni hay *coros*, ni hay *escuadrones*; lo que hay es *kimjolath hammajnáyim=como huella de dos manadas* o de dos *campamentos*. Desconoció la Vulgata hasta la terminación dual de *hammajnáyim*.

Verso 285.— Para traducir a *pjamáyik=tus pies*, dijo la Vulgata *gressus tui*, y siguiéndola el P. Scio, vertió: *¡Cuan hermosos son tus pasos en los calzados!* De donde se infiere que los calzados de Sulamita eran tan anchos y espaciosos, que en ellos, dentro de ellos, paseaba como en una plaza. *Abyssus abyssum invocat*, podemos exclamar; que traducido *more clasico* viene a decir: «Un disparate pide y requiere otro disparate». Xantes Pagnino y Arias Montano tradujeron *pedes tui*.

Verso 290. — La Vulgata *numquam indigens poculis*, y Scio, *que nunca está falta de bebida*. Ni el verbo *jasar* significa propiamente *indigere*, sino *deficere*, ni es en el original participio, sino futuro, (*yejsár*), ni *hammazeg* significa *poculis=bebida*, sino mezcla, como nombre proveniente de *mazag=miscuit*. En dos palabras tres desatinos.

Verso 296. — *Bath rabbim*, que dice el original, no es, como imagina la Vulgata, *filiae multitudinis*, sino *casa de grandes=palacio*. ¿Qué sentido se le puede hallar a la expresión de la Vulgata y Scio? *Tus ojos como pesqueras en Hesebón, que estañen la puerta de la hija de la muchedumbre*. ¿Qué *hija* es ésta? «Puerta en donde solía ser grande el concurso del pueblo», dice en la nota el P. Scio, y en su empeño de justificar la vaciedad de la Vulgata, añade: «*La hija de la muchedumbre*; es un Hebraísmo, por el que se significa la muchedumbre o concurso numeroso. Los Hebreos usan decir *hijo de sabiduría*, por *muy sabio*; e *hijo de maldad*, por *muy malo* o inicuo». Aun con esta explicación, padre, no se justifica la traducción de la Vulgata, porque *rabbím* es masculino y plural, y muchedumbre es femenino y singular, y por otras muchas cosas que se aducirán si aparece por esas sacristías de Dios algún hebraizante que quiera sacar la cara por la anónima *hija de la muchedumbre*. Por de pronto, Xantes Pagnino tradujo *filiae nobilum* y Arias Montano, *filiae magnatum*.

Versos 300 y 301.— No *como púrpura de rey*, que es lo que dicen la Vulgata y el P. Scio, sin reparar que en la palabra *kaargamán=como púrpura*, hay un *atnáj*, que es acento semipausante.

Verso 302. — *Guapa y gustosa*, en vez de *hermosa y graciosa* que escribe Scio, para traducir a *pulchra* y *decora* de la Vulgata. Acaso confundió el vulgato a *najám* (con *jáyin*)=*consolar*, *gustar*, con *janán* (con *geth*)=*gratiosus fuit*.

Verso 308. — *Et odor oris tui* dice la Vulgata para traducir a *wréaj afpék=y olor de tu nariz*. Confundir la nariz con la boca es *no saber* quien tal *hace dónde tiene las narices*.

Verso 309. — La Vulgata, *guttur tuum sicut vinum optimum*; pero *jikkek* no es *guttur*, sino *gustus*, ¿Cómo había de ser como el vino la garganta? ¿Puede esta saber a algo? Mejor tradujeron Pagnino y Arias Montano, diciendo *palatum tuum*.

Verso 311. — La Vulgata encaja en este lugar el siguiente disparatorio: *labiisque et dentibus illius ad ruminandum*, que Scio se apresura a traducir: *y de los labios y dientes de él para rumiarlo*. Duhamel pretende justificar el despropósito, añadiendo: *per meditationem*, como si alguna vez se hubiera meditado con los dientes ni con los labios. La verdad es que no hay tales *dientes* en el original, ni nada que deba o pueda traducirse por *ad ruminandum*, sino lo que de acuerdo consignaron Xantes Pagnino y Arias Montano: *faeiens loqui labia dormientium*. Imaginó la Vulgata que *ischerim* era plural de *schen* significaba *dientes*, en lugar de *dormidos*, de *yasan=dormir*. No cayó en la cuenta de que estando *siphthé=labios de* en régimen, había de decir, en todo caso, el original *labios de dientes*, ni reparó que para que dijera *et denlibus* sería preciso que el *yod* de *ischenim* fuera *wau*. Esto es lo que se llama *no saber ni jota* (*). Por otra parte, *dobéb*, participio *benoni* de *dabab=leniter et leviter incedere*, según Gesenio, en ninguna manera puede significar *ad rumimndim*, sino en todo caso, *ruminans*. Otro, pues, ha de ser el que *rumia* aquí; que no los labios y dientes del esposo.

(*) Frase española cuya razón solo se pueden explicar los que saben que nuestra letra *jota*, *iota* latina y griega, proviene de la letra hebrea, *yod*, la más pequeña de las veintidós del *alephato*. A su pequenez aludió J.C., diciendo en hebreo lo que se tradujo al latín de esta manera: *Amen, amen dico vobis, iota unum aut unus apex non preteribit á Lege donec omnia fiant* (Evang. de S. Mateo, v-l8). Merece ser leido el curioso artículo que apropósilo de la letra *jota* hizo publicar en *El Folk-lore Andaluz* (págs. 145-149) mi venerado maestro el Sr. García Blanco.

Versos 315-316. — El P. Scio, *levantémonos de mañana a las viñas*, para traducir a la Vulgata, que dice: *Mané surgamus ad vineas*, ¡Cómo se conoce que es escritor clásico!

«¡Víctor al Padre Crispín,
De los cultos culto sol,
Que habló español en latín
Y latín en español!»

¡Levantarse a las viñas! iQué bien ponía la pluma el P. Scio y qué rebien hizo la Academia Española incluyendo su nombre en la lista de los autores clásicos!

Verso 317. — La Vulgata, *si floruit vinea, si flores fructus parturiunt*; ni en el original hay tal *flores*, ni tal *parturire*; *paráj* significa *brotar*, *gemuerit*, que traduce a *parjáh* Arias Montano; y *patáj* significa *abrir*; *si brota la vid y abre la tra ma*: esto y no otra cosa dice el texto hebreo.

Verso 319. — La Vulgata, *ibi dabo tibi ubera mea*; y el P. Scio, *allí te daré mis pechos*. ¡Como quien no dice nada! De este modo resulta lúbrico y obsceno *El Cantar de los Cantares*. Como en tantas otras ocasiones, no hay aquí tales pechos, sino *doday=mis amores, mis cariños*. Así lo entendieron Xantes Pagnino y Arias Montano, que tradujeron: *ibi dabo amores meos tibi, Etthén eth doday lak=daré mis cariños a ti:* este *a ti* hace a *daré a ti* y a *mis cariños a ti*. *Doday*, de *dod* o *dud*, padres reverendos y no reverentes: la *mama* o *pecho* es *dad*, «idem quod *schad* et *thad* — como dice Gesenio — non nisi in duale constructo, *mamma*. Cum suffixo, *dadea=mammae ejus* (Ezequiel, 23-3, 8-21, Proverb. 5-19)». *Dad* o *thad* dieron origen a nuestro vocablo *teta*, convertida la *daleth* en su análoga *t*.

Verso 321. — *No todas las frutas*, como dice Scio, sino *todo lo selecto*, selecto y clásico padre.

Verso 322. — Ahora traduce la Vulgata a *dodi* por *dilecte mi*, justamente cuando menos conviene, pues la traducción literal es esta: *dodi=mi amor*, *tsaphánthi=guardé* o *guardo*, *lak=para ti*. Pero si la Vulgata había de ser consecuente consigo misma, ¿por qué no tradujo a *dodi* por *mi mama*, como poco antes tradujo a *doday* por *mis mamas* o *mis pechos*? Esto no tiene otra explicación que la que da respecto a otras muchas cosas el Sr. García Blanco. Sabido es que Salomón dijo en su *Miscelánea* o *Proverbios* (xxx, 18- 19) lo que Arias Montano tradujo así: *Tria ipsa alscondita sunt a me: & quatuor non novi ea, Viam aguilae in caelis, viam serpentis super petram, viam navis in cor de maris, & viam viri inp uella*. Ahora bien, mi respetable maestro, con el buen humor que aún a los ochenta y cinco años no le ha abandonado, afirma que a Salomón se le quedó en el tintero una cosa tan desconocida como el camino del águila en las alturas, el de la serpiente sobre la piedra, el de la nave en lo interior del mar y el del varón en la doncella; y que esa cosa es *el camino del tonto por todas partes: via stulti passim*. En efecto, no hay nada tan ignorado como los fundamentos en que el tonto asienta todo lo que hace o dice.

Verso 323. — *¡Quién te diera como hermano mío...=mi yitthenká kaj li*, y no *Quién te me dará á ti, hermano mío*, como dice el escolapio, sin entender que este hermano mío no es vocativo ni en el original ni en la Vulgata, y desconociendo el giro español *¡Quién diera o pusiera...* y la frase latina *Quis mihi det*, que emplea la Vulgata. Además, *quien te me dará a tí* es *albarda sobre albarda*, que dice el vulgo.

Verso 338. — El original, *schámmah jibblathká immeka*, y la Vulgata, *ibi corrupta est mater tua*. ¿De dónde se ha sacado *corrupta est*, si el verbo hebreo no está en pasiva? *Jibblathká* es *pihel* del verbo *jabal*, persona *ella: te concibió*. Así Arias Montano, que vierte: *ibi concepit te mater tua*.

Verso 339. — La Vulgata, *viólala est* para traducir a *jibbláh*, que tampoco es pasiva, sino el mismo verbo *jabal*, también en *pihel* y persona *ella*, aunque sin afija. No hay, pues, tal *violación* en el original, sino *allí te engendró la que te parió*. ¡Qué ganas de traer a cuento *pechos, cosas ocultas y violaciones innecesarias*!

Verso 343. — La Vulgata, *dura sicut infernus aemulatio*. Si por *infernus* se entiende exclusivamenté *lo que está abajo*, en contraposición a *superius*, puede pasar la palabra; pero si ha de entenderse las calderas de Pero Botero, como en su traducción y en la nota correspondiente indica el P. Scio, ¿no ve cualquiera que la comparación resultaría impropia? *Schol* significa *suelo*, *sepulcro* y de *schaal=inhiare, pedir con ansia*.

Verso 344. — La Vulgata, *lampades ejus lampades ignis*, que traduce Scio *sus lámparas son lámparas de fuego*. No hay tales lámparas en el original, sino raspas, de *rascháph*. Más valía que el vulgato hubiera guardado esas *lámparas* para Débora, y así no hubiera creído que *éscheth lafpidoth* significaba mujer de Lafpidót, sino *mujer de lámparas, lamparera*.

Verso 345. — No traduce la Vulgata la palabra hebrea *schalhebethyáj=llama de Dios, llama terrible*.

Verso 350. — La Vulgata, *quasi nihil despiciet eam*; y el P. Scio, *como nada la despreciará*, para traducir a *boz yabuzu lo*, que Arias Montano tradujo: *contemnendo contemnent eum*, y que se puede y se debe traducir, como frase superlativa que es, diciendo: *A todo despreciar lo despreciarían*: en plural, porque *yabuzu* lo es, y no *despiciet eam*, ni *la despreciará*, máxime cuando por los textos de la Vulgata y el P. Scio no se sabe quién desprecia.

Verso 360. — *In ea quae habet populos* dice la Vulgata para traducir a *bbájal hamon*; y el padre Scio, *en aquella que tiene pueblos*. No hay tal *en aquella*, ni tal *que tiene*, ni tales *pueblos*, sino *en Bajal Amon*, o cuando más, *en el señorío de la multitud*, como si dijéramos, *en el procomunal*.

Verso 361. — *Cada cual* o *cada uno* significa en este lugar la palabra hebrea *isch*, y no precisamente hombre, y menos cuando precede el plural *lannotrim=a los guardas*, Y sino, ¿qué sentido se puede sacar del texto de Scio? *La entregó* (la viña) *a los guardas, el hombre trahe por el fruto de ella*... ¡Cuidado con *el hombre*!

Versos 363 y 364. — El original, *haéleph lka schlomóh*=l*os mil, para ti, Salomón=mille Ubi Selomóh*, que vierten Pagnino y Arias Montano; y *no mille tui paciflci*, ni *tus mil del pacifico*, como dicen respectivamente la Vulgata y el padre Scio. Quien tropieza en terreno tan llano, ¿qué extraño es que caiga en un barranco? Y ¿por qué traducir ahora a *schlomóh* por *pacifico*, cuando menos puede venir a cuento esa cualidad y cuando más falta hace repetir el nombre del amante?... Lo dicho: *via stulti, incomprehensibilis*.

# POST SCRIPTUM

He terminado este trabajo, que acaso habrá parecido demasiado extenso a los lectores de *El Ursanoense*, y en el cual, sin embargo, se han quedado por indicar mil y un errores de la Vulgata y del P. Scio. Y es que para apuntarlos todos y decir acerca de ellos lo conveniente, sería preciso escribir un libro tan voluminoso, al menos, como el que escribió el jesuíta Martín del Río para acreditar lo inacreditable respecto del *Cántico* de Salomón.

No abrigo yo la jactancia de que la versión hecha por mí carezca de defectos: los tiene y lo reconozco; pero el público sensato comprenderá que son más disculpables en quien, por traducir en verso, necesita cuidar de los acentos y la medida, que en el que traduce en prosa y puede seguir palabra por palabra el texto original.

Creo, sí, haber dado a conocer el *Cantar de los Cantares* tal como es, sin apasionamientos de escuela ni secta alguna, y creo haber demostrado en las notas que la versión Vulgata latina y la española del P. Felipe Scio distan mucho del original hebreo, hasta el punto de ser indignas de que las lea quien quiera conocer la Biblia.

A los que me tachen de poco respetuoso con estas dos traducciones diré desde ahora, curándome en salud, que nunca el error mereció respeto, máxime cuando anda por ahí muy válido y acreditado de verdad, siendo arma de unos cuantos y añagaza con que se extravía la opinión de las gentes sencillas.

Léanse las notas arriba puestas; cuéntense, si esto es posible, los disparates que ciertos traductores han sustituido a las frases del original, y así hecho, cada cual dé crédito a quien tuviere a bien, y sigan leyendo su Vulgata y su P. Scio los que no tienen otra fé que la fé del carbonero.

Harto ciego será quien no vea por tela de cedazo.

«El traductor es un escritor privilegiado que tiene la oportunidad de reescribir obras maestras en su propia lengua».

Javier Marías

Desde *WestIndies Books* queremos agradecerle el tiempo que ha invertido en leer *El cantar de los cantares.* Esperamos que le haya gustado y, si así ha sido, le animamos a que lo recomiende.

## Nuestros títulos

**1.** *Vida y aventuras de jack Engle,* Walt Whitman.
**2.** *Hasta Novgorod,* Teodoro Recuero.
**3.** *Una comida un día cualquiera,* Ferran Torrent.
**4.** *Academia Zaratustra,* Juan Bonilla.
**5.** *Abdicación,* Carlo Frabetti.
**6.** *Las apasionantes lecturas del Sr. Smith,* Agustín Ferrer.
**7.** *Cartas desde Argel,* Agustín Ferrer Casas.
**8.** *El truco,* Víctor Barba.
**9.** *Cartas renovadas,* Cristóbal Colón.
**10.** *Sangre callada,* Montero Glez.
**11.** *Materia extraña,* Juan José Gómez Cadenas.
**12.** *Siete nudos,* J.M. Udakiola & Xabier y Martín Etxeberría.
**13.** *Instantáneas de Nueva York,* Paco Camarena & Hugo Barros Costa.
**14.** *Los que callan,* Rebeca García Nieto.
**15.** *Mujeres con nombre de canción,* Juan Carlos León.
**16.** *Erich Rose. El trágico final de un oficial «judío» en la División Azul,* Carlos Caballero Jurado.
**17.** *Algo en el agua,* Juan Manuel García Ruiz & Till Lukat.
**18.** *Ciudad sin sueño,* Juan José Gómez Cadenas.
**19.** *Por España y contra el rey,* Vicente Blasco Ibáñez.
**20.** *En vía muerta,* Alfonso Vila Francés.
**21.** *Geografía de la locura,* Javier S. Burgos.
**22.** *Visión a todas las distancias,* Pablo Artal.
**23.** *Historias del espacio exterior,* Pato Conde.

**24.** *Cuentos del bar de la medianoche,* Marcos Pereda.
**25.** *El mundo, la Bien Querida y yo,* Ozantoño Torres.
**26.** *El color del mar,* Teresa Galarza Ballester.
**27.** *El tigre de Tarzán,* Carlo Frabetti.
**28.** *The Secrets,* Antonio Sachs & Ramiro Fernández Borrallo.
**29.** *Capitán Kabuklov y otros relatos,* Leonid N. Andreyev.
**30.** *Nada nos puede ir mal,* Juan Carlos León.
**31.** *Todos los mundos el mundo,* Diego Rasskin Gutman.
**32.** *Autobiografía de un esclavo,* Juan Francisco Manzano.
**33.** *Poemas rotos,* Alfonso Vila Francés.
**34.** *Según los intrusos,* Fernando García Maroto.
**35.** *Fuera de tiempo,* Joan Maragall.
**36.** *De qué (no) te vas a morir,* Sergio Parra.
**37.** *Terrible ángel,* Carlo Frabetti.
**38.** *El arte de la biografía,* Virginia Woolf.
**39.** *Buscando un alma,* Dolors Monserdà de Macià.
**40.** *Buscant un ànima,* Dolors Monserdà de Macià.
**41.** *La noche de San Juan,* Juan Carlos León.
**42.** *Esto no es una novela,* Domingo Alberto Martínez.
**43.** *Ciudades en llamas,* Kai Aareleid.
**43.** *Así fue que Shakespeare escribió La Tempestad,* Rudyard Kipling.
**44.** *El vértigo del viaje,* Andrés Delgado.
**45.** *Cantar de los cantares del Rey Salomón.*